中华人民共和国行业标准

液压升降整体脚手架
安全技术规程

Technical specification for safety of hydraulic lifting integral scaffold

JGJ 183－2009

批准部门：中华人民共和国住房和城乡建设部
施行日期：2 0 1 0 年 月 1 日

中国建筑工业出版社

2009 北 京

中华人民共和国行业标准
液压升降整体脚手架安全技术规程
Technical specification for safety of hydraulic
lifting integral scaffold
JGJ 183 - 2009
*
中国建筑工业出版社出版、发行（北京西郊百万庄）
各地新华书店、建筑书店经销
北京红光制版公司制版
北京密东印刷有限公司印刷
*
开本：850×1168 毫米　1/32　印张：2⅜　字数：68 千字
2009 年 12 月第一版　　2009 年 12 月第一次印刷
定价：**12.00** 元
统一书号：15112 · 17738
版权所有　翻印必究
如有印装质量问题，可寄本社退换
（邮政编码 100037）
本社网址：http://www.cabp.com.cn
网上书店：http://www.china-building.com.cn

中华人民共和国住房和城乡建设部
公　　告

第 390 号

关于发布行业标准《液压升降整体脚手架安全技术规程》的公告

现批准《液压升降整体脚手架安全技术规程》为行业标准，编号为 JGJ 183－2009，自 2010 年 3 月 1 日起实施。其中，第 3.0.1、7.1.1、7.2.1 条为强制性条文，必须严格执行。

本规程由我部标准定额研究所组织中国建筑工业出版社出版发行。

中华人民共和国住房和城乡建设部

2009 年 9 月 15 日

前　言

根据住房和城乡建设部《关于印发〈2008年工程建设标准规范制订、修订计划（第一批）〉的通知》（建标［2008］102号）的要求，规程编制组经认真总结实践经验，参考有关国际标准和国外先进标准，并在广泛征求意见的基础上，制订本规程。

本规程主要技术内容：1. 总则；2. 术语和符号；3. 基本规定；4. 架体结构；5. 设计及计算；6. 液压升降装置；7. 安全装置；8. 安装、升降、使用、拆除以及相关附录。

本规程中以黑体字标志的条文为强制性条文，必须严格执行。

本规程由住房和城乡建设部负责管理和对强制性条文的解释，由南通四建集团有限公司负责具体技术内容的解释。执行过程中如有意见或建议，请寄送南通四建集团有限公司（地址：江苏省通州市新金西路93号，邮政编码226300）。

本规程主编单位：南通四建集团有限公司
　　　　　　　　苏州二建建筑集团有限公司

本规程参编单位：中国建筑科学研究院建筑机械化研究分院
　　　　　　　　东南大学
　　　　　　　　南京林业大学
　　　　　　　　上海市建工设计研究院有限公司
　　　　　　　　江苏省建筑科学研究院
　　　　　　　　珠海市建设工程安全监督站
　　　　　　　　北京市建筑工程研究院
　　　　　　　　江苏云山模架工程有限公司

本规程主要起草人：耿裕华　宫长义　花周建　干兆和
　　　　　　　　　姚富新　张赤宇　施建平　陈　赟

罗文龙　郭正兴　杨　平　严　训
李　明　关赞东　黄　蕊　赵玉章
王克平　杨　东

本规程主要审查人员：潘延平　秦春芳　高秋利　平福泉
刘　群　张晓飞　潘国钿　孙宗辅
杨永军　张有闻

目　次

Contents

1 总　　则

1.0.1 为规范建筑施工液压升降整体脚手架的应用和管理，统一其技术要求，确保建筑施工安全，制定本规程。

1.0.2 本规程适用于高层、超高层建（构）筑物不带外模板的千斤顶式或油缸式液压升降整体脚手架的设计、制作、安装、检验、使用、拆除和管理。

1.0.3 液压升降整体脚手架的安全技术除应符合本规程外，尚应符合国家现行有关标准的规定。

2 术语和符号

2.1 术 语

2.1.1 液压升降整体脚手架 hydraulic lifting integral scaffold

依靠液压升降装置，附着在建（构）筑物上，实现整体升降的脚手架。

2.1.2 工作脚手架 truss of the scaffold

采用钢管杆件和扣件搭设的位于相邻两竖向主框架之间和水平支承桁架之上的作业平台。

2.1.3 水平支承 horizontal support truss

承受架体的竖向荷载的稳定结构。

2.1.4 竖向主框架 major vertical frame

垂直于建筑物立面，与水平支承结构、工作脚手架和附着支承结构连接，承受和传递竖向和水平荷载的构架。

2.1.5 架体 structure of the scaffold

液压升降整体脚手架的承重结构，由工作脚手架、水平支承结构、竖向主框架组成的稳定结构。

2.1.6 附着支承 attached supporting structure

附着在建（构）筑物结构上，与竖向主框架连接并将架体固定，承受并传递架体荷载的连接结构。

2.1.7 架体高度 scaffold height

架体最底层横向杆件轴线至架体顶部横向杆件轴线间的距离。

2.1.8 架体宽度 width of the scaffold

架体内、外排立杆轴线之间的水平距离。

2.1.9 架体支承跨度 supporting span of the scaffold

两相邻竖向主框架中心轴线之间的距离。

2.1.10 悬臂高度 cantilever height

架体的附着支承结构中最上一个支承点以上的架体高度。

2.1.11 悬挑长度 overhang length

竖向主框架中心轴线至水平支承端部的水平距离。

2.1.12 防倾覆装置 anti-overturning device

防止架体在升降和使用过程中发生倾覆的装置。

2.1.13 防坠落装置 anti-fall device

架体在升降过程中发生意外坠落时的制动装置。

2.1.14 导轨 conduct rail

附着在附着支承结构或竖向主框架上，引导脚手架上升或下降的轨道。

2.1.15 液压升降装置 hydraulic lifting device

依靠液压动力系统，驱动脚手架升降运动的执行机构。

2.1.16 制动距离 braking distance

额定荷载状态下，架体开始坠落到防坠落装置制停的滑移距离。

2.1.17 机位 location of the machine

安装液压升降装置的位置。

2.2 符 号

2.2.1 荷载：

G_k——永久荷载（恒载）的标准值；

P_k——跨中集中荷载的标准值；

Q_k——可变荷载（活载）的标准值；

q_k——均布线荷载的标准值；

S——荷载效应组合的设计值；

S_{Gk}——永久荷载（恒载）效应的标准值；

S_{Qk}——可变荷载（活载）效应的标准值；

w_k——风荷载标准值；

w_0——基本风压。

2.2.2 材料、构件设计指标：

A——爬杆净截面面积；

E——钢材弹性模量；

f——钢材强度设计值；

I_x——毛截面惯性矩；

R——结构构件抗力的设计值；

$[v]$——受弯构件的允许挠度；

N——拉杆或压杆最大轴力设计值。

2.2.3 计算系数：

μ_z——风压高度变化系数；

μ_s——脚手架风荷载体型系数；

ϕ——挡风系数；

β_z——风振系数；

γ_G——恒荷载分项系数；

γ_q——活荷载分项系数；

γ_1——附加安全系数；

γ_2——附加荷载不均匀系数；

γ_3——冲击系数。

2.2.4 几何参数：

L——受弯杆件跨度；

L_a——立杆纵距。

3 基本规定

3.0.1 液压升降整体脚手架架体及附着支承结构的强度、刚度和稳定性必须符合设计要求，防坠落装置必须灵敏、制动可靠，防倾覆装置必须稳固、安全可靠。

3.0.2 液压升降整体脚手架产品定型前应进行专门鉴定。液压升降装置应由法定检测单位进行型式检验，施工中使用的液压升降装置、防坠落装置必须采用同一厂家、同一型号的产品。

3.0.3 液压升降整体脚手架产品型式试验，应符合本标准附录A的规定。使用中不得违反技术性能规定，不得扩大适用范围。

3.0.4 安装和操作人员应经过专业培训合格后持证上岗，作业前应接受安全技术交底。

4 架体结构

4.0.1 架体结构（图4.0.1）的尺寸应符合下列规定：

1 架体结构高度不应大于5倍楼层高；

2 架体全高与支承跨度的乘积不应大于110m²；

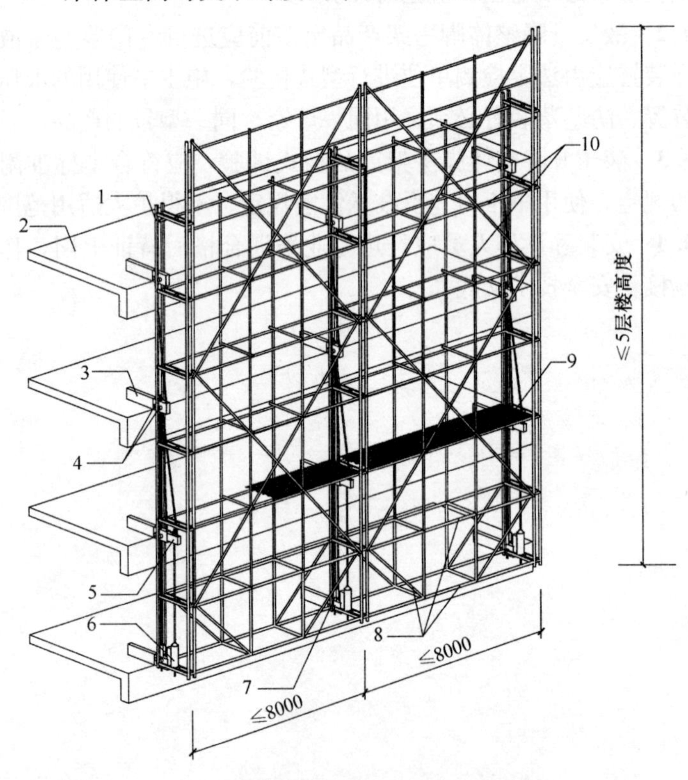

图4.0.1 液压升降整体脚手架总装配示意图（单位：mm）

1—竖向主框架；2—建筑结构混凝土楼面；3—附着支承结构；4—导向及防倾覆装置；5—悬臂（吊）梁；6—液压升降装置；7—防坠落装置；8—水平支承结构；9—工作脚手架；10—架体结构

3 架体宽度不应大于1.2m；

4 直线布置的架体支承跨度不应大于8m，折线或曲线布置的架体中心线处支承跨度不应大于5.4m；

5 水平悬挑长度不应大于跨度的1/2，且不得大于2m；

6 当两主框架之间架体的立杆作承重架时，纵距应小于1.5m，纵向水平杆的步距不应大于1.8m。

4.0.2 竖向主框架（图4.0.2）应符合下列规定：

1 竖向主框架可采用整体结构或分段对接式结构，结构形式应为桁架或门式刚架两类，各杆件的轴线应汇交于节点处，并应采用螺栓或焊接连接；

2 竖向主框架内侧应设有导轨或导轮；

3 在竖向主框架的底部应设置水平支承，其宽度与竖向主框架相同，平行于墙面，其高度不宜小于1.8m，用于支撑工作脚手架。

4.0.3 水平支承应符合下列规定：

1 水平支承各杆件的轴线应相交于节点上，并应采用节点板构造连接，节点板的厚度不得小于6mm；

2 水平支承上、下弦应采用整根通长杆件，或于跨中设一拼接的刚性接头。腹杆与上、下弦连接应采用焊接或螺栓连接；

3 水平支承斜腹杆宜设计成拉杆。

4.0.4 附着支承（图4.0.4）应符合下列规定：

1 在建筑物对应于竖向主框架的部位，每一层应设置上下贯通的附着支承；

2 在使用工况时，竖向主框架应固定于附着支承结构上；

3 在升降工况时，附着支承结构上应设有防倾覆、导向的结构装置；

4 附着支承应采用锚固螺栓与建筑物连接，受拉端的螺栓露出螺母不应少于3个螺距或10mm，为防止螺母松动宜采用弹簧垫片，垫片尺寸不得小于100mm×100mm×10mm；

5 附着支承与建筑物连接处混凝土的强度不得小

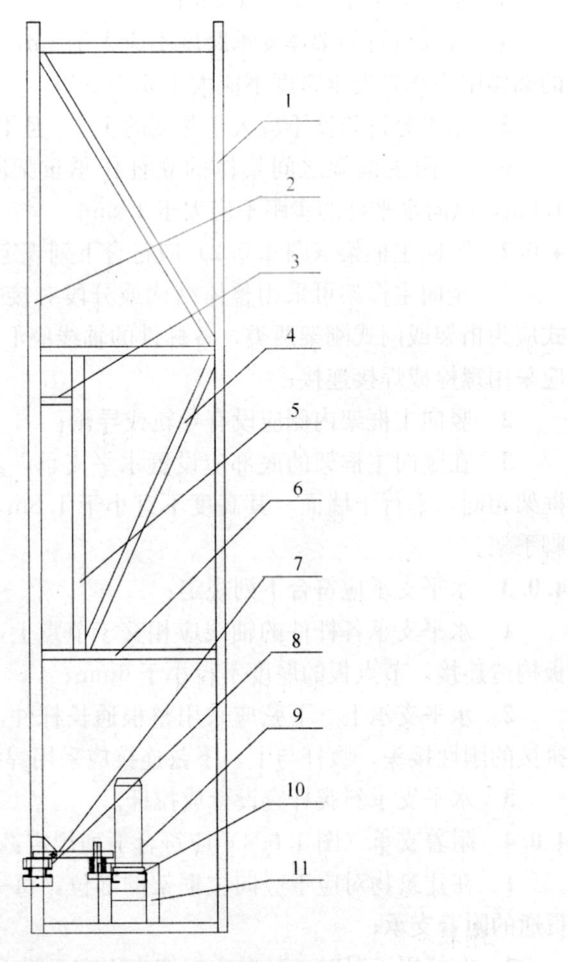

图 4.0.2　竖向主框架示意图

1—外立杆；2—内立杆及导轨；3—竖向主框架与附着支承搁置杆件；4—斜腹杆；5—与附着支承搁置杆件的立杆；6—横杆；7—液压升降装置与防坠落装置的联运机构；8—防坠落装置；9—液压升降装置；10—液压升降装置组装附件；11—液压升降装置组装附件导向及受力架

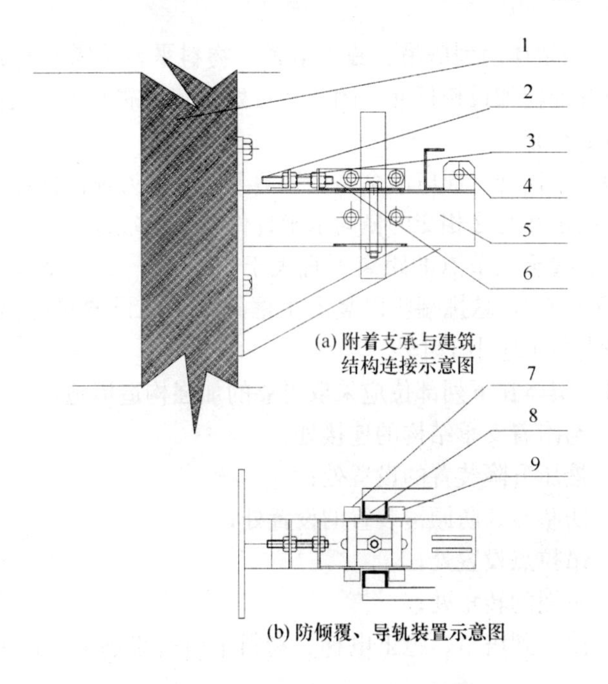

图 4.0.4　附着支承及防倾覆、导轨结构示意图

1—建筑结构混凝土墙体；2—调节螺栓；3—调节螺母；4—拉杆耳板；5—附着支承；6—可前后移动的防倾覆装置组装架；7—内导向轮；8—导轨；9—外导向轮

于 10MPa。

4.0.5　工作脚手架宜采用扣件式钢管脚手架，其结构构造应符合国家现行标准《建筑施工扣件式钢管脚手架安全技术规范》JGJ 130 的规定，工作脚手架应设置在两竖向主框架之间，并应与纵向水平杆相连。立杆底端应设置定位销轴。

4.0.6　竖向主框架悬臂高度不得大于 6m 或架体高度的 2/5。

4.0.7　当水平支承不能连续设置时，局部可采用脚手架杆件进行连接，但其长度不得大于 2.0m，且必须采取加强措施，其强度和刚度不得低于原有的水平支承。

4.0.8　液压升降整体脚手架不得与物料平台相连接。

4.0.9 当架体遇到塔吊、施工电梯、物料平台等需断开或开洞时，断开处应加设栏杆并封闭，开口处应有可靠的防止人员及物料坠落的措施。

4.0.10 架体外立面应沿全高设置剪刀撑，剪刀撑斜杆应采用旋转扣件固定在与之相交的横向水平杆件的伸出端或立杆上，旋转扣件中心线至主节点的距离不宜大于150mm，剪刀撑水平夹角应为45°～60°，悬挑端应以竖向主框架为中心设置对称斜拉杆，其水平夹角不应小于45°。

4.0.11 架体在下列部位应采取可靠的加强构造措施：

1 与附着支承结构的连接处；

2 液压升降装置的设置处；

3 防坠落、防倾覆装置的设置处；

4 吊拉点设置处；

5 平面的转角处；

6 因碰到塔吊、施工电梯、物料平台等设施而需断开或开洞处；

7 水平支承悬挑部位；

8 其他有加强要求的部位。

4.0.12 安全防护措施应符合下列要求：

1 架体外侧必须采用密目式安全立网（≥2000 目/100cm^2）围挡；密目式安全立网必须可靠固定在架体上；

2 架体底层的脚手板除应铺设严密外，还应具有可翻起的翻板构造；

3 工作脚手架外侧应设置防护栏杆和挡脚板，挡脚板的高度不应小于180mm，顶层防护栏杆高度不应小于1.5m；

4 工作脚手架应设置固定牢靠的脚手板，其与结构之间的间距应符合国家现行标准《建筑施工扣件式钢管脚手架安全技术规范》JGJ 130 的相关规定。

4.0.13 构配件的制作应符合下列要求：

1 制作构配件的原、辅材料的材质及性能应符合设计要求，并应按规定对其进行验证和检验；

2 加工构配件的工装、设备及工具应满足构配件制作精度的要求，并应定期进行检查；

3 构配件应按照工艺要求及尺寸精度进行检验，对防倾覆及防坠落装置等关键部件的加工件应有可追溯性标志，加工件必须进行100％检验；使用构配件时，应验证出厂合格证。

5 设计及计算

5.1 荷 载

5.1.1 荷载由永久荷载和可变荷载组成，永久荷载标准值应符合现行国家标准《建筑结构荷载规范》GB 50009 的规定。

5.1.2 脚手板自重标准值应按表 5.1.2 取值。

表 5.1.2 脚手板自重标准值

类 别	标准值（kN/m^2）
冲压钢脚手板	0.30
竹笆板	0.35
木脚手板	0.35

5.1.3 栏杆和挡脚板自重线荷载标准值应按表 5.1.3 取值，安全网应取 0.005kN/m^2。

表 5.1.3 栏杆和挡脚板自重线荷载标准值

类 别	标准值（kN/m）
栏杆和冲压钢脚手板挡板	0.16
栏杆和竹串板脚手板挡板	0.17
栏杆和木脚手板挡板	0.17

5.1.4 施工活荷载应根据施工具体情况确定荷载标准值，其值不得小于表 5.1.4 的规定。

表 5.1.4 施工活荷载标准值

工况类别		按同时作业层数计算	每层活荷载标准值（kN/m^2）
使用工况	结构施工	2	3.0
	装修施工	3	2.0
爬升工况	结构施工	2	0.5
下降工况	装修施工	3	0.5

5.1.5 风荷载标准值（w_k）应按下式计算：

$$w_k = \beta_z \mu_z \mu_s w_0 \tag{5.1.5}$$

式中：w_k ——风荷载标准值（kN/m^2）；

β_z ——风振系数（一般可取1.0，也可按实际情况选取）；

μ_z ——风压高度变化系数，按现行国家标准《建筑结构荷载规范》GB 50009 的规定采用；

μ_s ——脚手架风荷载体型系数；

w_0 ——基本风压值（kN/m^2），按现行国家标准《建筑结构荷载规范》GB 50009 中 $N=10$ 年的规定采用。非工作状态和工作状态，均不应小于 $0.35kN/m^2$。

5.1.6 脚手架风荷载体型系数应符合表5.1.6的规定。

表 5.1.6 脚手架风荷载体型系数

背靠建筑物状况	全封闭	敞开或开洞
μ_s	1.0ϕ	1.3ϕ

5.1.7 液压升降整体脚手架应按最不利荷载效应组合进行计算，计算结构或构件的强度、稳定性及连接强度时，应采用荷载设计值（荷载标准值乘以荷载分项系数）；计算变形时，应采用荷载标准值。其荷载效应组合应按表5.1.7采用。

表 5.1.7 荷载效应组合

计算项目	荷载效应组合
纵、横向水平杆；水平支承桁架；使用过程中的固定吊拉杆和竖向主框架；附着支承；防倾覆及防坠落装置	恒荷载+施工活荷载
竖向主框架；脚手架立杆稳定；连接螺栓及混凝土局部承压	①恒荷载+施工活荷载 ②恒荷载+0.9（施工荷载组合值+风荷载组合值）
液压升降装置	永久荷载+升降过程的施工活荷载

不考虑风荷载 $S = \gamma_G S_{Gk} + \gamma_q S_{Qk}$ (5.1.7-1)

考虑风荷载 $S = \gamma_G S_{Gk} + 0.9(\gamma_q S_{Qk} + \gamma_q S_{wk})$ (5.1.7-2)

式中：γ_G ——恒荷载分项系数 $\gamma_G = 1.2$；

γ_q——活荷载分项系数 $\gamma_q = 1.4$；

S_{Gk} ——恒荷载效应的标准值(kN/m^2)；

S_{Qk} ——活荷载效应的标准值(kN/m^2)；

S_{wk} ——风荷载效应的标准值(kN/m^2)。

5.1.8 水平支承上部的扣件式钢管脚手架计算应符合国家现行标准《建筑施工扣件式钢管脚手架安全技术规范》JGJ 130 的规定，验算立杆稳定时，其设计荷载应乘以附加安全系数 γ_1，其值为 1.43。

5.1.9 液压升降整体脚手架上的升降动力设备、吊具、索具，在使用工况条件下，其设计荷载值应乘以附加荷载不均匀系数 γ_2，其值为 1.3；在升降、坠落工况时，其设计荷载应乘以冲击系数 γ_3，其值为 2。

5.2 设计及计算

5.2.1 液压升降整体脚手架的设计应符合现行国家标准《钢结构设计规范》GB 50017、《冷弯薄壁型钢结构技术规范》GB 50018、《混凝土结构设计规范》GB 50010 的规定。

5.2.2 液压升降整体脚手架架体结构、附着支承结构、防倾、防坠装置的承载能力应按概率极限状态设计法的要求采用分项系数设计表达式进行设计，并应进行下列设计计算：

1 竖向主框架的强度和压杆稳定及连接计算；

2 水平支承的强度和压杆稳定及连接计算；

3 脚手架架体的强度和压杆稳定及连接计算；

4 附着支承的强度和稳定及连接计算；

5 防倾覆装置的强度和稳定及连接计算；

6 穿墙螺栓以及建筑物混凝土结构螺栓孔处局部承压计算。

5.2.3 竖向主框架、水平支承、架体，应根据正常使用极限状态的要求验算变形，并应符合现行国家标准《钢结构设计规范》GB 50017的要求。

5.2.4 液压升降整体脚手架的索具、吊具应按允许应力法进行设计，并应符合有关机械设计的要求。

5.2.5 竖向主框架的强度和压杆稳定及连接计算应包括下列内容：

1 风荷载与垂直荷载作用下，竖向主框架杆件的内力强度计算；

2 将风荷载与垂直荷载组合计算最不利杆件的内力设计值；

3 最不利杆件强度和压杆稳定性，以及受弯构件的变形计算；

4 节点板及节点焊缝或螺栓连接时螺栓强度计算。

5.2.6 在水平支承的强度和压杆稳定及连接计算中，水平支承其节点荷载应由架体构架的立杆来传递；在操作层内外桁架荷载的分配应通过小横杆支座反力求得。

5.2.7 附着支承的强度和稳定及连接计算应符合下列规定：

1 建筑物每一楼层处均应设置附着支承，每一附着支承应承受该机位范围内的全部荷载的设计值，并乘以荷载不均匀系数γ_2或冲击系数，冲击系数取值为2；

2 应进行抗弯、抗压、抗剪、焊缝强度、稳定性、锚固螺栓强度计算和变形验算。

5.2.8 导轨设计应符合下列规定：

1 荷载设计值应根据不同工况分别乘以相应的荷载不均匀系数；

2 应进行抗弯、抗压、抗剪、焊缝强度、稳定性、锚固螺栓强度计算和变形验算。

5.2.9 防坠落装置设计应符合下列规定：

1 荷载的设计值应乘以相应的冲击系数，系数取值为2；并应按升降工况一个机位范围内的荷载取值；

2 应依据实际情况分别进行强度和变形验算；

3 防坠落装置不得与横吊梁设置在同一附着支承上。

5.2.10 竖向主框架底座框和吊拉杆设计应符合下列规定：

1 荷载设计值应依据主框架传递的反力计算；

2 升降设备与竖向主框架连接应进行强度和稳定验算，并对连接焊缝及螺栓进行强度计算。

5.2.11 悬臂梁设计应进行强度和变形验算。

5.2.12 液压升降装置选择应符合下列规定：

1 按升降工况一个最大的机位荷载，并乘以荷载的不均匀系数 γ_2 确定荷载设计值；

2 液压升降执行机构的提升力应满足 $N_s \leqslant N_c$（N_s 为荷载设计值，N_c 为液压升降装置提升力额定值）；

3 液压升降装置提升力额定值（N_c）宜按下式计算：

$$N_c = 0.9 \times F \times P \tag{5.2.12}$$

式中：F——液压升降装置活塞腔面积（m^2）；

P——液压系统工作压力（MPa）。

5.2.13 穿墙螺栓应同时承受剪力和轴向拉力，其强度应按下列公式计算：

$$\sqrt{\left(\frac{N_v}{N_v^b}\right)^2 + \left(\frac{N_t}{N_t^b}\right)^2} \leqslant 1 \tag{5.2.13-1}$$

$$N_v^b = \frac{\pi D_{螺}^2}{4} f_v^b \tag{5.2.13-2}$$

$$N_t^b = \frac{\pi d_0^2}{4} f_t^b \tag{5.2.13-3}$$

式中：N_v、N_t ——一个螺栓所承受的剪力和拉力设计值（kN）；

N_v^b、N_t^b ——一个螺栓抗剪、抗拉承载能力设计值（kN）；

$D_{螺}$——螺杆直径；

f_v^b ——螺栓抗剪强度设计值一般采用 Q_{235} 取 f_v^b = 130N/mm^2；

d_0 ——螺栓螺纹处有效截面直径；

f_t^b ——螺栓抗拉强度设计值一般采用 Q_{235} 取 f_t^b =

170N/mm²。

5.2.14 穿墙螺栓孔处混凝土局部抗压强度验算应按下列公式计算：

$$R_i(i=1,2)\leqslant R \quad (5.2.14\text{-}1)$$

式中：R——螺栓孔处的混凝土局部抗压承载力设计值（kN/m^2）；

$$R=1.35\beta f_c A_m \quad (5.2.14\text{-}2)$$

β——混凝土局部抗压强度提高系数，采用1.73；

f_c——爬升龄期的混凝土试块轴心抗压强度设计值（kN/m^2）；

A_m——一个螺栓局部承压计算面积（m^2），$A_m=db_1$ 或 $A_m=db_2$（d 为螺栓杆直径，有套管时为套管外径）；

R_1、R_2——螺栓对穿孔处下部和上部的混凝土产生的压应力（kN），可按图5.2.14及下式计算：

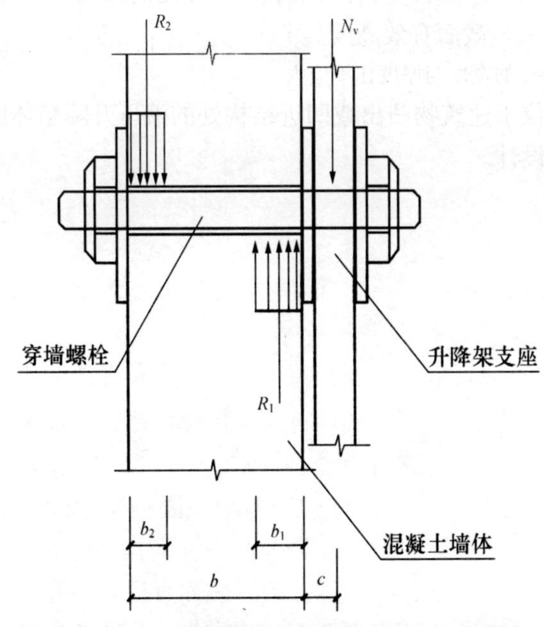

图5.2.14 穿墙螺栓局部承压应力分析简图

$$
\begin{cases}
N_v\left(c+\frac{b_1}{2}\right)-R_2\left(b-\frac{b_1}{2}-\frac{b_2}{2}\right)=0 \\
N_v\left(c+b-\frac{b_2}{2}\right)-R_1\left(b-\frac{b_1}{2}-\frac{b_2}{2}\right)=0 \\
R_1-R_2-N_v=0
\end{cases}
\quad (5.2.14\text{-}3)
$$

N_v ——螺栓承受的剪力设计值（kN）；

c ——剪力作用点与墙面的距离（mm）；

b ——墙体厚度（mm）；

b_1、b_2 ——墙体下部和上部的受压区计算高度（mm）。

5.2.15 穿墙螺栓孔处混凝土抗冲切强度应按下式计算

$$
N_t = 0.6 f_t u_m h_0 \quad (5.2.15)
$$

式中：N_t ——螺栓承受的拉力设计值（kN）；

f_t ——爬升龄期的混凝土试块轴心抗拉强度设计值（kN/m^2）；

u_m ——离螺栓垫板面积周边 $h_0/2$ 处的周长；

h_0 ——截面有效高度。

注：垫板的宽度与厚度比不应大于10。

5.2.16 位于建筑物凸出或凹进结构处的液压升降整体脚手架应进行专项设计。

6 液压升降装置

6.1 技术要求

6.1.1 液压升降装置应符合国家现行标准《液压缸 技术条件》JB/T 10205、《液压缸试验方法》GB/T 15622 的有关规定。

6.1.2 液压控制系统应符合国家现行标准《液压系统通用技术条件》GB/T 3766 和《液压元件通用技术条件》GB/T 7935 的有关规定。液压控制系统应具有自动闭锁功能。

6.1.3 液压系统额定工作压力宜小于 16MPa，各液压元件的额定工作压力应大于 16MPa。

6.1.4 溢流阀的调定值不应大于系统额定工作压力的 110%。

6.1.5 液压升降装置的工作性能参数应符合本规程附录 B 的有关规定。

6.1.6 液压油清洁度应符合下列规定：

1 液压系统的油液清洁度不应低于那氏 9 级；

2 液压元件清洁度应符合国家现行标准《液压件清洁度评定方法及液压件清洁度指标》JB/T 7858 的有关规定。

6.2 检 验

6.2.1 液压控制系统的性能检验应符合下列要求：

1 各回路通断及各元件工作应正常；

2 泵的噪声、压力脉动、系统振动应在允许范围内；

3 压力表、信号灯、报警器等各种装置的测量和信号应准确无误。

6.2.2 当达到额定工作压力的 1.25 倍时，保压 15min，液压升降装置应无异常情况。

6.2.3 在额定工作压力状态下连续运转 30min 后，液压油温度应在 60℃以下。

6.2.4 在负载工况运转时，噪声不应大于 75dB（A）。

6.2.5 在额定荷载作用下，当液压控制系统出现失压状态时，液压升降装置不得有滑移现象。

6.2.6 液压升降装置最低启动工作压力应小于 0.5MPa。

6.2.7 液压升降装置在 1.5 倍额定工作压力作用下，不得有零件损坏等现象。

6.2.8 在额定工作压力下和温度－20℃～45℃的环境中，液压升降装置应可靠工作，固定密封处不得渗漏油，运动密封处渗油不应成滴。

6.2.9 在正常工作状态时，液压控制系统应有防止误操作的功能。

6.3 使用与维护

6.3.1 液压油维护应符合下列要求：

1 不同牌号液压油不得混用；

2 液压升降装置应每月进行一次维护，各液压元件的功能应保持正常；

3 液压油应每月进行一次检查化验，清洁度应达到那氏 9 级。

6.3.2 当液压系统出现异常噪声时，应立即停机检查，排除噪声源后方可运行。

6.3.3 液压升降装置应安装在不易受到机械损伤的位置，应具有防淋、防尘措施。

6.3.4 液压管路应固定在架体上。

6.3.5 液压控制台的安装底部应有足够的强度和刚度，应具有防淋、防尘的措施。

6.3.6 液压升降装置在使用 12 个月或工程结束后，应更换密封件，检验卡齿，并应重新采取防腐、防锈措施。

7 安 全 装 置

7.1 防坠落装置

7.1.1 液压升降整体脚手架的每个机位必须设置防坠落装置，防坠落装置的制动距离不得大于80mm。

7.1.2 防坠落装置应设置在竖向主框架或附着支承结构上。

7.1.3 防坠落装置应按本规程附录C进行检验。

7.1.4 防坠落装置使用完一个单体工程或停止使用6个月后，应经检验合格后方可再次使用。

7.1.5 防坠落装置受力杆件与建筑结构必须可靠连接。

7.2 防倾覆装置

7.2.1 液压升降整体脚手架在升降工况下，竖向主框架位置的最上附着支承和最下附着支承之间的最小间距不得小于2.8m或1/4架体高度；在使用工况下，竖向主框架位置的最上附着支承和最下附着支承之间的最小间距不得小于5.6m或1/2架体高度。

7.2.2 防倾覆导轨应与竖向主框架有可靠连接。

7.2.3 防倾覆装置应具有防止竖向主框架前、后、左、右倾斜的功能。

7.2.4 防倾覆装置应采用螺栓与建筑主体结构连接，其装置与导轨之间的间隙不应大于8mm。

7.2.5 架体的垂直度偏差不应大于架体全高的0.5%，防倾覆装置通过调节应满足架体垂直度的要求。

7.2.6 防倾覆装置与导轨的摩擦宜采用滚动摩擦。

7.3 荷载控制或同步控制装置

7.3.1 液压升降整体脚手架升降时必须具有荷载控制或同步控制功能。

7.3.2 当某一机位的荷载超过设计值的30%或失载的70%时，荷载控制系统应能自动停机并报警。

7.3.3 当相邻机位高差达到30mm或整体架体最大升降差超过80mm时，同步控制系统应能自动停机并报警，待其他机位与超高超低机位相平时方可重新开机。

8 安装、升降、使用、拆除

8.1 一 般 规 定

8.1.1 技术人员和专业操作人员应熟练掌握液压升降整体脚手架的技术性能及安全要求。

8.1.2 遇到雷雨、6 级及以上大风、大雾、大雪天气时，必须停止施工。架体上人员应对设备、工具、零散材料、可移动的铺板等进行整理、固定，并应作好防护，全部人员撤离后应立即切断电源。

8.1.3 液压升降整体脚手架施工区域内应有防雷设施，并应设置相应的消防设施。

8.1.4 液压升降整体脚手架安装、升降、拆除过程中，应统一指挥，在操作区域应设置安全警戒。

8.1.5 液压升降整体脚手架安装、升降、使用、拆除作业，应符合国家现行标准《建筑施工高处作业安全技术规范》JGJ 80 的有关规定。

8.1.6 液压升降整体脚手架施工用电应符合国家现行标准《施工现场临时用电安全技术规范》JGJ 46 的有关规定。

8.1.7 升降过程中作业人员必须撤离工作脚手架。

8.2 安 装

8.2.1 液压升降整体脚手架应由有资质的安装单位施工。

8.2.2 安装单位应核对脚手架搭设构（配）件、设备及周转材料的数量、规格，查验产品质量合格证、材质检验报告等文件资料。构（配）件、设备、周转材料应符合下列规定：

1 钢管应符合现行国家标准《直缝电焊钢管》GB/T 13793 的规定；

2 钢管脚手架的连接扣件应采用可锻铸铁制作，其材质应符合现行国家标准《钢管脚手架扣件》GB 15831 的规定，并在螺栓拧紧的扭力矩达到 65N·m 时，不得发生破坏；

3 脚手板应采用钢、木、竹材料制作，其材质应符合相应国家现行标准的有关规定；

4 安全围护材料及辅助材料应符合相应国家现行标准的有关规定。

8.2.3 应核实预留螺栓孔或预埋件的位置和尺寸。

8.2.4 应查验竖向主框架、水平支承、附着支承、液压升降装置、液压控制台、油管、各液压元件、防坠落装置、防倾覆装置、导向部件的数量和质量。

8.2.5 应设置安装平台，安装平台应能承受安装时的垂直荷载。高度偏差应小于 20mm；水平支承底平面高差应小于 20mm。

8.2.6 架体的垂直度偏差应小于架体全高的 0.5%，且不应大于 60mm。

8.2.7 安装过程中竖向主框架与建筑结构间应采取可靠的临时固定措施，确保竖向主框架的稳定。

8.2.8 架体底部应铺设脚手板，脚手板与墙体间隙不应大于 50mm，操作层脚手板应满铺牢固，孔洞直径宜小于 25mm。

8.2.9 剪刀撑斜杆与地面的夹角应为 45°～60°。

8.2.10 每个竖向主框架所覆盖的每一楼层处应设置一道附着支承及防倾覆装置。

8.2.11 防坠落装置应设置在竖向主框架处，防坠吊杆应附着在建筑结构上，且必须与建筑结构可靠连接。每一升降点应设置一个防坠落装置，在使用和升降工况下应能起作用。

8.2.12 防坠落装置与液压升降装置联动机构的安装，应先将液压升降装置处于受力状态，调节螺栓将防坠落装置打开，防坠杆件应能自由地在装置中间移动；当液压升降装置处于失力状态时，防坠落装置应能锁紧防坠杆件。

8.2.13 在竖向主框架位置应设置上下两个防倾覆装置，才能安装竖向主框架。

8.2.14 液压升降装置应安装在竖向主框架上，并应有可靠的连接。

8.2.15 控制台应布置在所有机位的中心位置，向两边均排油管；油管应固定在架体上，应有防止碰撞的措施，转角处应圆弧过渡。

8.2.16 在额定工作压力下，应保压30min，所有的管接头滴漏总量不得超过3滴油。

8.2.17 架体的外侧防护应采用安全密目网，安全密目网应布设在外立杆内侧。

8.2.18 液压升降整体脚手架安装后应按本规程附录D的要求进行验收。

8.3 升　　降

8.3.1 液压升降整体脚手架提升或下降前应按本规程附录E的要求进行检查；检查合格后方能发布升降令。

8.3.2 在液压升降整体脚手架升降过程中，应设立统一指挥，统一信号。参与的作业人员必须服从指挥，确保安全。

8.3.3 升降时应进行检查，并应符合下列要求：

1 液压控制台的压力表、指示灯、同步控制系统的工作情况应无异常现象；

2 各个机位建筑结构受力点的混凝土墙体或预埋件应无异常变化；

3 各个机位的竖向主框架、水平支承结构、附着支承结构、导向、防倾覆装置、受力构件应无异常现象；

4 各个防坠落装置的开启情况和失力锁紧工作应正常。

8.3.4 当发现异常现象时，应停止升降工作。查明原因、隐患排除后方可继续进行升降工作。

8.4 使　用

8.4.1 液压升降整体脚手架提升或下降到位后应按本规程附录F的要求进行检查，检查合格后方可使用。

8.4.2 在使用过程中严禁下列违章作业：

1 架体上超载、集中堆载；

2 利用架体作为吊装点和张拉点；

3 利用架体作为施工外模板的支模架；

4 拆除安全防护设施和消防设施；

5 构件碰撞或扯动架体；

6 其他影响架体安全的违章作业。

8.4.3 施工作业时，应有足够的照度。

8.4.4 液压升降整体脚手架使用过程中，应每个月进行一次检查，并应符合本规程附录D的要求，检查合格后方可继续使用。

8.4.5 作业期间，应每天清理架体、设备、构配件上的混凝土、尘土和建筑垃圾。

8.4.6 每完成一个单体工程，应对液压升降整体脚手架部件、液压升降装置、控制设备、防坠落装置等进行保养和维修。

8.4.7 液压升降整体脚手架的部件及装置，出现下列情况之一时，应予以报废：

1 焊接结构件严重变形或严重锈蚀；

2 螺栓发生严重变形、严重磨损、严重锈蚀；

3 液压升降装置主要部件损坏；

4 防坠落装置的部件发生明显变形。

8.5 拆　除

8.5.1 液压升降整体脚手架的拆除工作应按专项施工方案执行，并应对拆除人员进行安全技术交底。

8.5.2 液压升降整体脚手架的拆除工作宜在低空进行。

8.5.3 拆除后的材料应随拆随运，分类堆放，严禁抛掷。

附录A 液压升降整体脚手架产品型式试验方法

A.1 性能试验

A.1.1 液压升降整体脚手架样机应按最大步距及最大高度搭设，应有3m左右的升降空间，应搭设三机二跨以上，其中一跨为最大跨度；同步性能试验时，应搭设十机九跨以上的整体脚手架。

A.1.2 试验条件应符合下列要求：

1 环境温度应为－20℃～＋40℃；

2 现场风速不应大于13m/s；

3 电源电压值偏差应为±5％。

A.1.3 试验用的仪器和工具，应有鉴定证书，并应在有效期内。

A.1.4 试验步骤应符合下列要求：

1 试验准备工作应符合下列要求：

1）液压升降装置的控制系统及防坠落装置应可靠自如；

2）各金属结构的连接件应牢固可靠；

3）样机架体全高与支承跨度的乘积应大于$110m^2$。

2 液压升降装置的同步性能试验：提升3m，测量高度误差，下降3m，测量高度误差。同步性能试验应进行三个升降循环，试验过程中不得进行升降差调整。

3 防坠落装置性能试验应按本规程B.0.3的要求进行。

4 超载、失载试验，三个机位，保持左右机位的荷载不变，中间机位加载到额定荷载的130％，单独提升中间机位，观察控制台是否能切断电源。中间机位减载70％，单独提升中间机位，观察控制台是否能切断电源。

A.2 结构应力与变形试验和测试

A.2.1 应进行性能试验项目后，方可进行结构应力与变形测试。

A.2.2 结构应力与变形测试应按表A.2.2选取测试项目。

表A.2.2 液压升降整体脚手架结构应力与变形测试项目

序号	测试工况	测试项目
1	空载升降情况	附着支承结构、竖向主框架、受力杆件
2	空载工况	附着支承结构、竖向主框架、受力杆件
3	标准荷载	附着支承结构、竖向主框架、受力杆件
4	125%的标准值	附着支承结构、竖向主框架、受力杆件
5	标准荷载下偏载30%	附着支承结构、竖向主框架、受力杆件
6	标准水平荷载	水平梁系

A.2.3 测点应符合下列规定：

1 测点宜选择表A.2.2中列出的各部分结构的关键部位作为测点，并确定粘贴应变片形式；有特殊要求的，应根据试验目的和要求来选择测试点。

2 平面应力区的应变片应符合下列规定：

1）当结构处于平面应力状态时，应预先用分析等方法确定主应力方向，沿主应力方向贴上应变片。

2）当主应力方向无法确定时，应贴上应变花。

A.2.4 测试宜按下列步骤进行：

1 检查和调整试验样机；

2 贴应变片，接好应变检测系统，调试有关仪器，选好灵敏系数，消除一切不正常的现象；

3 检测结构自重应力，在空载时，应对被测结构件测点调零；

4 测读结构件的自重应力值；

5 检测结构的荷载应力，额定荷载及偏载下，测读结构件应变值，额定荷载工况时还应测量承受竖向荷载的水平结构的挠度值；

6 使样机架体处于升降状态、工作状态，叠加相对应的横向荷载，测量结构的横向挠度值；

7 超过额定荷载的30%试验，当结构出现永久变形或局部损坏，应立即终止试验，进行检查和分析；

8 试验过程及数据应作好记录。

A.2.5 安全判定数据应符合下列规定：

1 应力测试应符合下列要求：

1）据表A.2.2结构应力测试项目，额定荷载所测出的结构最大应力，应满足下式给出的安全判定数据。

$$n = \sigma_s / \sigma_r \geqslant 2.0 \qquad \text{(A.2.5)}$$

式中：σ_s——材料的屈服极限（MPa）；

σ_r——最大应力（MPa）。

2）超载工作状况只用于考核结构的完整性，不得作为安全判定数据检查。

2 挠度测试的水平支承结构挠度应小于1/150，且应小于10mm。

3 竖向主框架顶端水平变形应小于1/400。

附录B　液压升降装置产品型式试验方法

B.0.1　检测用仪器设备应包括下列项目：

1　中小型液压阀、液压缸、马达试验台；

2　精密压力表；

3　电子秒表；

4　数字温度计；

5　称重传感器。

B.0.2　试验条件应符合下列要求：

1　试验环境温度应为－20℃～＋40℃；

2　试验荷载与额定荷载的允许误差为±5％。

B.0.3　液压升降装置应按额定荷载进行静载试验。试验过程中，不应有影响整机性能的变形及其他异常情况，固定密封处不应漏油。

B.0.4　液压升降装置应按额定荷载进行动载试验。试验过程中，活塞杆与缸体的可见密封处表面不应有影响性能的明显擦伤，固定密封处不应漏油，运动密封处渗油不成滴。

B.0.5　液压升降装置应进行超压试验，在额定压力的1.25倍，应保压15min，无异常现象。

B.0.6　液压升降装置应进行失压试验。在额定荷载作用下，液压控制系统处于失压状态时，液压升降装置相对于杆件不应滑移。

B.0.7　升降装置应进行内泄漏测定。在额定工作压力下，内泄漏量技术参数应符合表B.0.7的规定。

表B.0.7　内泄漏量技术参数

缸内径 D (mm)	内泄漏量 (mL / min)	缸内径 D (mm)	内泄漏量 (mL / min)
100	≤0.20	140	≤0.30

续表 B.0.7

缸内径 D（mm）	内泄漏量（mL / min）	缸内径 D（mm）	内泄漏量（mL / min）
110	≤0.22	160	≤0.50
125	≤0.28	180	≤0.63

注：使用组合密封时，允许内泄漏量为规定值的 2 倍。

B.0.8 液压升降装置应进行外泄漏量测定。在额定工作压力下，活塞杆静止时，不应渗油；活塞杆运动时，除活塞杆外，不应渗油。

B.0.9 液压升降装置应进行锁紧力试验。锁紧缸在 8MPa 压力下，施加额定荷载，锁紧应可靠，杆件不应滑移。

B.0.10 液压升降装置应进行承载力试验。在额定工作压力下，承载额定荷载时应升降自如。

附录C 防坠落装置产品型式试验方法

C.0.1 检测仪器及设备应包括下列项目：

1 试验架分为固定架和活动架两部分；

2 提升装置；

3 脱钩器；

4 砝码；

5 砝码提升架；

6 游标卡尺；

7 制动杆件。

C.0.2 试验条件应符合下列规定：

1 试验环境温度应为－20℃～＋40℃。

2 试验载荷与其名义值的允许误差为±5％。

C.0.3 防坠落装置制动距离试验宜按下列步骤进行：

1 将待测防坠落装置安装在活动架上；

2 将制动杆件穿插在防坠落装置内，并将制动杆件上端部安装在固定架上；

3 将脱钩器的上端安装在固定架上，脱钩器的下端安装在活动架上；

4 在活动架上加砝码；

5 脱钩器脱钩，测量防坠落装置的滑移距离；

6 将测量数据及情况记入表C.0.3。

表C.0.3 防坠落装置制动距离试验记录表

次　数	制动距离（mm）	制动情况	备　注
1			
2			
3			

试验人员：　　　　　　　　　　　　记录人员

C.0.4 试验结果应符合下列要求：

1 防坠落装置应能迅速闭锁制动杆件，每次制动距离不得大于80mm；

2 防坠落装置闭锁制动杆件后，静置36h，不得有可见滑移现象。

附录D 液压升降整体脚手架安装后验收表

表D 液压升降整体脚手架安装后验收表

工程名称		结构形式	
建筑面积		机位布置情况	
总包单位		安拆单位	
监理单位		验收日期	

序号	检查项目	标准	检查结果
1★	相邻竖向主框架的高差	≤30mm	
2★	竖向主框架及导轨的垂直度偏差	≤0.5%且≤60mm	
3★	预埋穿墙螺栓孔或预埋件中心的误差	≤15mm	
4★	架体底部脚手板与墙体间隙	≤50mm	
5	节点板的厚度	≥6mm	
6	剪刀撑斜杆与地面的夹角	45°～60°	
7★	操作层脚手板应铺满、铺牢，孔洞直径	≤25mm	
8★	连接螺栓的拧紧扭力矩	40N·m～65N·m	
9★	防松措施	双螺母	
10★	附着支承在建（构）筑物上连接处的混凝土强度	≥C10	
11	架体全高	≤5倍楼层高度	
12	架体宽度	≤1.2m	
13	架体全高×支承跨度	≤110m²	
14	支承跨度直线型	≤8m	
15	支承跨度折线型或曲线型	≤5.4m	
16	水平悬挑长度	≤2m；且≤1/2跨度	
17	使用工况上端悬臂高度	≤2/5架体高度；且≤6m	
18	防坠落装置制动距离	≤80mm	
19★	在竖向主框架位置的最上附着支承和最下附着支承之间的间距	≥5.6m	
20	垫板尺寸	≥100mm×100mm×10mm	

续表 D

序号	检查项目	标　准	检查结果
21★	防倾覆装置与导轨之间的间隙	≤8mm	
22	液压升降装置承受额定荷载 48h	滑移量≤1mm	
23	液压升降装置施压 20MPa，保压 15min	无异常	
24	液压升降装置锁紧力，上、下锁紧油缸在 8MPa 压力承载工况下	锁紧不滑移	
25	承受荷载，液压系统失压 36h	载物不滑移	
26	额定工作压力下，保压 30min，所有的管路接头	滴漏≤3 滴油	
27	防护栏杆	在 0.6m 和 1.2m 两道	
28	挡脚板高度	≥180mm	
29	顶层防护栏杆高度	≥1.5m	
检查结论			

检查人签字	总包单位项目经理	安拆单位负责人	安全员	机械管理员

符合要求，同意使用（　）　　不符合要求，不同意使用（　）

总监理工程师（签字）

年　月　日

注：本表由安拆单位填报，总包单位、安拆单位、监理单位各存一份。

本表带★检查项目为每月检查内容。

附录E　液压升降整体脚手架升降前准备工作检查表

表E　液压升降整体脚手架升降前准备工作检查表

工程名称		升降层次	
建筑面积		机位布置情况	
总包单位		安拆单位	
监理单位		日期	

序号	检查项目	标　准	检查结果
1	安装最上附着支承处结构混凝土强度	≥C10	
2	液压动力系统的控制柜	设置在楼层上	
3	防坠吊杆与建筑结构连接	可靠	
4	防坠落装置工作状态	正常	
5	在竖向主框架位置的最上附着支承和最下附着支承之间的间距	≥2.8m或≥1/4架体高度	
6	防倾覆装置与导轨之间的间隙	≤8mm	
7	架体的垂直度偏差	≤0.5%架体全高；且≤60mm	
8	额定荷载超过30%时	报警停机	
9	额定荷载失载70%时	报警停机	
10	升降行程范围	无伸出墙面外的障碍物	

续表 E

<table>
<tr><td>序号</td><td colspan="2">检查项目</td><td colspan="2">标　准</td><td>检查结果</td></tr>
<tr><td>11</td><td colspan="2">专业操作人员</td><td colspan="2">持证上岗</td><td></td></tr>
<tr><td>12</td><td colspan="2">垂直立面与地面</td><td colspan="2">进行警戒</td><td></td></tr>
<tr><td>13</td><td colspan="2">架体上</td><td colspan="2">无杂物及人员</td><td></td></tr>
<tr><td>检
查
结
论</td><td colspan="5"></td></tr>
<tr><td rowspan="2">检查人签字</td><td>安拆单位负责人</td><td colspan="2">安全员</td><td>机械管理员</td><td></td></tr>
<tr><td></td><td colspan="2"></td><td></td><td></td></tr>
<tr><td colspan="3">符合要求，同意使用（　　）</td><td colspan="3">不符合要求，不同意使用（　　）</td></tr>
<tr><td colspan="6">项目经理（签字）
年　月　日</td></tr>
</table>

注：本表由安拆单位填报，监理单位、施工单位、租赁单位、安拆单位各存一份。

附录F　液压升降整体脚手架升降后使用前安全检查表

表F　液压升降整体脚手架升降后使用前安全检查表

<table>
<tr><td colspan="2">工程名称</td><td colspan="2"></td><td colspan="2">结构层次</td><td></td></tr>
<tr><td colspan="2">建筑面积</td><td colspan="2"></td><td colspan="2">机位布置情况</td><td></td></tr>
<tr><td colspan="2">总包单位</td><td colspan="2"></td><td colspan="2">安拆单位</td><td></td></tr>
<tr><td colspan="2">监理单位</td><td colspan="2"></td><td colspan="2">日期</td><td></td></tr>
<tr><td>序号</td><td colspan="3">检查项目</td><td colspan="2">标　准</td><td>检查结果</td></tr>
<tr><td>1</td><td colspan="3">整体脚手架的垂直荷载</td><td colspan="2">建筑物受力</td><td></td></tr>
<tr><td>2</td><td colspan="3">液压升降装置</td><td colspan="2">非工作状态</td><td></td></tr>
<tr><td>3</td><td colspan="3">防坠落装置</td><td colspan="2">工作状态</td><td></td></tr>
<tr><td>4</td><td colspan="3">最上一道防倾覆装置</td><td colspan="2">可靠牢固</td><td></td></tr>
<tr><td>5</td><td colspan="3">架体底层脚手板与墙体间隙</td><td colspan="2">≤50mm</td><td></td></tr>
<tr><td>6</td><td colspan="3">在竖向主框架位置的最上附着支承和最下附着支承之间的间距</td><td colspan="2">≥5.6m或
≥1/2架体高度</td><td></td></tr>
<tr><td>检查结论</td><td colspan="6"></td></tr>
<tr><td rowspan="2" colspan="2">检查人签字</td><td>安拆单位负责人</td><td colspan="2">安全员</td><td>机械管理员</td><td></td></tr>
<tr><td></td><td colspan="2"></td><td></td><td></td></tr>
<tr><td colspan="4">符合要求，同意使用（　　）</td><td colspan="3">不符合要求，不同意使用（　　）</td></tr>
<tr><td colspan="7">项目经理（签字）
年　月　日</td></tr>
</table>

注：本表由安拆单位填报，监理单位、施工单位、租赁单位、安拆单位各存一份。

本规程用词说明

1 为了便于在执行本规程条文时区别对待，对要求严格程度不同的用词说明如下：

1）表示很严格，非这样做不可的用词：
正面词采用“必须”，反面词采用“严禁”；

2）表示严格，在正常情况下均应这样做的用词：
正面词采用“应”，反面词采用“不应”或“不得”；

3）表示允许稍有选择，在条件许可时首先应这样做的用词：
正面词采用“宜”，反面词采用“不宜”；

4）表示有选择，在一定条件下可以这样做的，采用“可”。

2 条文中指明应按其他有关标准、规范执行的写法为：“应按……执行”或“应符合……的要求（或规定）”。

引用标准名录

1 《建筑结构荷载规范》GB 50009

2 《混凝土结构设计规范》GB 50010

3 《钢结构设计规范》GB 50017

4 《冷弯薄壁型钢结构技术规范》GB 50018

5 《液压系统通用技术条件》GB/T 3766

6 《液压元件通用技术条件》GB/T 7935

7 《直缝电焊钢管》GB/T 13793

8 《液压缸试验方法》GB/T 15622

9 《钢管脚手架扣件》GB 15831

10 《施工现场临时用电安全技术规范》JGJ 46

11 《建筑施工高处作业安全技术规范》JGJ 80

12 《建筑施工扣件式钢管脚手架安全技术规范》JGJ 130

13 《液压件清洁度评定方法及液压件清洁度指标》JB/T 7858

14 《液压缸 技术条件》JB/T 10205

中华人民共和国行业标准

液压升降整体脚手架安全技术规程

JGJ 183 - 2009

条 文 说 明

制订说明

《液压升降整体脚手架安全技术规程》JGJ 183－2009，经住房和城乡建设部2009年9月15日以第390号公告批准、发布。

本规程制订过程中，编制组进行了大量的调查研究，总结了我国液压升降整体脚手架设计、施工的实践经验，同时参考了国外先进技术标准，通过对防坠落装置的制动距离和时间、荷载控制或同步控制装置进行了专项试验论证与实测作出了具体的规定。

为便于广大设计、施工、科研、学校等单位有关人员在使用本标准时能正确理解和执行条文的规定，《液压升降整体脚手架安全技术规程》编制组按章、节、条顺序编制了本规程的条文说明，对条文规定的目的、依据以及执行中需注意的有关事项进行了说明，还着重对强制性条文的强制性理由作了解释。但是，本条文说明不具备与标准正文同等的法律效力，仅供使用者作为理解和把握标准规定的参考。在使用过程中如果发现本条文说明有不妥之处，请将意见函寄南通四建集团有限公司。

目　　次

1 总　　则

1.0.1 本条说明液压升降整体脚手架的管理所必须遵循的原则。

1.0.2 本规程适用于高层、超高层建筑物和构筑物工程的主体和装饰施工作业的千斤顶式或油缸式液压升降脚手架的设计、制作、安装、检验 、使用、拆除和管理。不携带施工外模板是指液压升降整体脚手架升降时不携带施工外模板和不作为模板支撑。

2 术语和符号

2.1 术　　语

2.1.1 液压升降整体脚手架是指由竖向主框架、水平支承结构、附着支承结构、工作脚手架等组成，并依靠液压升降装置，附着在建（构）筑物上，实现整体升降的脚手架。

2.1.12 防倾覆装置是在脚手架升降和使用过程中，防止发生倾覆的装置。

2.1.13 防坠落装置是液压升降整体脚手架在升降过程中，发生意外事故（如提升设备损坏、受力杆件断裂），液压升降整体脚手架发生坠落现象时，制动液压升降整体脚手架不坠落的安全保险装置。

2.2 符　　号

本规程的符号符合现行国家标准《工程结构设计基本术语和通用符号》GBJ 132－90 的规定。

3 基 本 规 定

3.0.1 本条规定的说明：

1 架体及附着支承结构的强度、刚度和稳定性是保证架体正常升降和使用的关键条件，必须符合设计要求。

2 防倾覆装置、防坠落装置是液压升降整体脚手架的关键装置，已发生的工程安全事故大部分源于这两大问题没有妥善解决。

3 防倾覆是从旋转约束上解决液压升降整体脚手架的稳定问题。本规程从竖向主框架倾覆的技术性能角度提出相应要求，附着支承增加防倾覆要求后，在使用与升降工况下，建筑物主体结构对附着支承应至少形成上下或左右布置的两个独立的竖向约束和上下布置的两个独立的平面外旋转约束，从而保证竖向主框架及整体脚手架的稳定。

4 坠落的原因主要有两种，即附着支承及提升装置的受力杆件等部件的破坏和升降过程中动力失效。

- **1）** 引起附着支承破坏的原因主要有两方面：①现场管理失控，附着支承与建筑物主体结构的固定未按要求进行；②升降不同步或升降过程中遇障碍物导致机位荷载超出附着支承的极限承载力。
- **2）** 引起动力失效的原因也主要有两方面：①机位荷载在正常范围内，液压升降装置因自身质量问题或使用保养维修不当引起；②升降不同步或升降过程中遇障碍物导致机位荷载超出液压升降装置极限承载力引起。

对引起附着支承破坏的第①方面原因，只能通过加强施工现场管理来避免。对引起液压升降装置动力失效的第①方面原因，除要求设置防坠落装置外，本规程还在第8章的安装和使用上作出相应的要求；针对引起附着支承及提升装置破坏的第②方面原因及引起动力失效的第②方面原因，本规程要求安全装置应有荷载控制或同步控制装置，即从消极防坠落转向预防坠落产生。

5 液压升降装置有着与电动设备不同的功能，当工作压力值一定的情况下，它的提升力是一个恒定的值，当实际荷载超过时，此处机位的提升会自动停止，紧邻的机位荷载将加大，同样会自动停止提升，最终全部的液压升降装置停止提升；下降时失载也是同样自动停止下降工作。液压系统本身具有超载、失载停升功能。

6 同步控制装置是液压升降整体脚手架的关键控制装置，即每个机位之间的水平偏差超过一定的值时，停止升降。实际上超载停升、失载停降与位移超差系统是三位一体的。液压升降装置的最大特点是保持全部机位动作的统一性和每个动作后行程量的一致性，所以，控制所有的液压升降装置全部到位后（也就是一个行程完毕后），再实行下一步动作是液压升降整体脚手架同步控制的关键所在。因此架体及附着支承结构的强度和刚度、防坠落装置、防倾覆装置是最关键的部件。此条作为强制性条文，必须严格执行。防坠落装置、防倾覆装置及同步控制装置在安全装置一章专门作出规定。

3.0.2 本条规定的说明：

1 液压升降整体脚手架的使用会产生很大的社会经济效益，但安全问题解决不好，对人民的生命、财产会造成很大的伤害，使用的液压升降整体脚手架产品定型前必须经专家鉴定或项目验收合格后才允许使用。

2 液压升降装置的可行性是使用液压升降整体脚手架的关键所在，作为成熟的产品应有型式检验报告。

3 液压升降装置、防坠落装置的产品质量直接影响使用中的安全，施工中使用的液压升降装置、防坠落装置必须采用液压升降整体脚手架产品鉴定或验收时原来厂家、原来品牌、原来型号规格的产品。

3.0.3 本条规定的说明：

1 液压升降整体脚手架的架体高度、悬臂高度，竖向主框架间的跨度，水平支承的悬挑长度，组架方式，液压升降装置的性能，防倾覆装置、防坠落装置等各项技术指标应与产品规定的性能指标相对应，并在设计规定的数据范围内。

2 适用范围主要用于主体结构施工和装饰施工，特别要说明的是在架体升降的过程中不允许带外模板。总的要求是在保证使用安全的前提下，结构稳定、重量轻、便于安装装配，而且应该是节能、节电、省工、省力、环保、高效，经济上合理。

3.0.4 专业培训是指经过附着式升降脚手架的培训合格后，再结合液压升降整体脚手架的工作原理、技术特点、作业要求、升降方法、注意事项等方面进行专项技术培训。作业前应当进行书面和口头上的技术交底。

4 架体结构

4.0.1 液压升降整体脚手架架体结构尺寸一方面应满足使用需要，另一方面从保证强度、刚度、稳定性的角度出发应对各类主要尺寸作出必要的限制，本条对液压升降整体脚手架的结构尺寸作出基本规定。

1 规定了架体高度。主要考虑了3层未拆除模板层的高度和顶部在施工楼层以及其上防护栏杆（1.8m高）的防护要求，且同时须满足底层模板拆除层外围防护的要求，达到全部安全防护的目的。如果高度不够，则不是顶部没有防护，就是底部拆除模板层没有防护；

2 规定架体全高与支承跨度的乘积值，是考虑不同楼层高度的工程使用，总的荷载不超过规定的值；

3 架体宽度指内外排立杆轴线间的距离。内排立杆距建筑结构不应大于0.5m，主要考虑尽量减少架体的外倾覆力矩；

4 支承跨度是设计计算的重要指标，是有效控制液压升降装置提升力超载现象的重要措施，也是核定每个机位的竖向主框架、附着支承结构及其建筑物连接点的受力大小等参数的重要依据；

5 架体端部由于封头立杆和防护的要求荷载较大，不控制悬挑长度则危险性大，故作出小于2m的规定；

6 主要考虑到施工人员正常通行的需要而作出的规定。

4.0.2 竖向主框架是液压升降整体脚手架重要的承力和稳定构件，架体所受的力均由其传递给附着支承结构，再由附着支承结构传递到建筑物上。本条对竖向主框架作出了三条规定：

1 竖向主框架必须有足够的强度和稳定性能，要设计成空间几何不变体系的稳定结构，为了便于运输可设计成分段对接式结构；

2 由于竖向主框架必须通过导轨进行上下运动，进而带动整体脚手架升降，故规定竖向主框架内侧应设置导轨。推荐竖向主框架的内侧立杆与导轨合并为整体结构，则其强度和刚度更高、更合理；

3 水平支承的高度规定为1.8m，是为保证其整体稳定和强度。

4.0.3 水平支承是作为承担部分工作脚手架荷载的重要构件，本条对水平支承作出了构造设计的3点要求。保证水平支承在垂直方向和整体的稳定。

4.0.4 附着支承结构是承受架体所有荷载并将其传递给建筑结构的重要构件，本条作出了5条规定：

1 应于竖向主框架所覆盖的每一个楼层处设置一道附着支承，每一个楼层是指已经浇筑混凝土且混凝土强度达到要求的楼层；

2 使用工况时，将竖向主框架的荷载传递给附着支承，再由附着支承将荷载传递到建筑结构上，保证力的传递准确，构件强度可靠；

3 升降工况时附着支承是固定在建筑结构上不动的构件，竖向主框架是上下移动的构件，因此要求在附着支承上设有防倾覆装置和导向装置，保证整体脚手架在升降的过程中垂直升降、不翻转；

4 附着支承应采用锚固螺栓与建筑物连接，是出于安全的考虑。螺栓露出螺母应不少于3个螺距或10mm，防止螺母松动的方法宜采用弹簧垫片，与混凝土面接触的垫片最小尺寸规定为100mm×100mm×10mm，垫片尺寸过小了会引起预留孔洞处混凝土的局部破坏；

5 安装和使用附着支承时，提出了建筑结构混凝土强度的最低要求。

4.0.5 由于扣件式钢管脚手架有较强的选用性和普遍性，工作脚手架宜采用钢管扣件搭设，在搭设时应符合国家现行标准《建筑施工扣件式钢管脚手架安全技术规范》JGJ 130 的规定。工作脚手架的部分荷载传递在水平支承上，水平支承又将荷载传递到竖向主框架上，所以工作脚手架应与水平支承和竖向主框架之间有可靠稳固的连接。

4.0.6 架体悬臂高度应含一层楼的高度，再加上一道防护栏杆的高度（1.8m）。通常 3.2m 的楼层高度，悬臂高度为 6m。出于架体防倾覆和稳定性考虑，悬臂高度不得大于架体高度的 2/5 和 6m。如果超过了 6m，需要采取加强措施。

4.0.7 出于受水平支承局限和建筑结构变化多样的影响，很多工程水平支承杆件不能连续设置时，可采用局部脚手架杆件连接，但其强度和刚度不得低于原有的水平支承。

4.0.8 考虑到物料平台的特殊性和液压升降整体脚手架的安全，两者应严格独立使用。

4.0.9 在架体结构遇到塔吊、施工电梯、物料平台等需断开或开洞时，断开处应按照临边、洞口的防护要求进行防护，防止人员及物料的坠落。

4.0.10 剪刀撑对整体脚手架架体的稳定，防止安全事故的发生将起到重要的作用。若剪刀撑连接立杆间距太小，不能与竖向主框架、水平支承和架体构架连接成整体，则纵向支撑刚度较差，故对剪刀撑跨度和水平夹角作了规定。

4.0.11 液压升降整体脚手架与附着支承的连接处，提升机构的设置处，防坠落装置、防倾覆装置的设置处，吊拉点的设置处，因承受的架体集中荷载较大，容易变形或损坏，因此本条规定在上述处应有加强构造的措施。另外，平面转角处，架体因碰到塔吊、施工电梯、物料平台等设施而需要断开或开洞处，因架体断开变成悬挑，故规定应采取加强措施，如采用斜拉或斜撑等。

4.0.12 本条对脚手架的防护作出规定：

1 架体外侧满挂密目安全网，可有效防止物件坠落；

2 底层脚手板必须铺设严密，靠建筑结构一侧应有翻板，架体升降时，翻板翻起，利于脚手架的升降工况；使用时翻板放下，起到防止物件坠落的作用；

3 作业层外侧设置挡脚板是为了防止物件从外侧坠落，顶层1.5m高的栏杆是防止人员从高空坠落。

4.0.13 本条对液压升降整体脚手架的构配件的制作从设计图纸、工艺文件、工艺装备、原（辅）材料、检验规则和要求都作出了详细的规定。

5 设计及计算

5.1 荷　　载

5.1.1 本规程设计荷载考虑永久荷载（恒载）和可变荷载（活载）两类。对按照现行国家标准《建筑结构可靠度设计统一标准》GB 50068、《建筑结构荷载规范》GB 50009 中划为偶然荷载的撞击、坠落、防坠落作用，结合本类构件特点及已经完成的相关试验结果，在相应计算中提出了经验值。计算时对活荷载应考虑到对升降架受力状态的有利与不利进行荷载效应组合。

5.1.2、5.1.3 各类永久荷载标准值的取值与其他施工设备设计取值保持一致。

5.1.4 液压升降脚手架在施工中的作用与普通脚手架一致，在施工活荷载的取值上仍采用相应的施工规范值。对爬升工况和下降工况，架体上的施工人员应撤离，施工用材料、机具都应搬离到架体以外的可靠场所。每层活荷载标准值取 0.5kN/m^2 是为满足升降过程中对附墙构件调整、提升机构调整所需要的人员操作的要求。

5.1.5 本条对结构极限状态与正常使用状态设计验算的荷载取值进行了规定，与现行国家标准《建筑结构可靠度设计统一标准》GB 50068 一致。

对风荷载取值考虑到该设备使用期较短，按 10 年基准期采用。实际工程中，由于升降脚手架主要用于 20m 以上的建筑标准层施工阶段，且处于城市区域内，可考虑地形条件的修正系数 η，η 可取 1.0～1.5。

根据现行国家标准《建筑结构荷载规范》GB 50009，按 $w_0=0.35\text{kN/m}^2$，钢结构，以常用的 90m 高度在城市市区的条件，计算得 $\beta_z=1.0$，这也是液压升降整体脚手架应用工程较多的一种情况。考虑到应用情况的变化，建议按实际情况计算。对于竖向主框架及附着支承结构的设计中，尚宜考虑阵风系数，但不与施工荷载进行组合，因为在风力超过7级时，不允许工人进行作业。

5.1.6 脚手架风荷载体型系数采用现行国家标准《建筑结构荷载规范》GB 50009的计算方法，背靠建筑物状况中全封闭、敞开或开洞是指脚手架对建筑物的围合状况，计算时应对正压与负压分别进行分析。

5.1.7 通过对数个工程的实际使用，对工程通常部位的设计分析，提出了各工况不利荷载效应组合。这里对现行国家标准《建筑结构荷载规范》GB 50009中荷载效应基本组合采用简化规则，由于该类脚手架荷载效应最不利值组合通常由可变荷载效应控制，故得出表中的荷载效应组合。

当建筑高度较大且处于风口地带时，对连墙杆、连墙件、防倾覆及防坠落装置考虑永久荷载+风荷载的不利荷载效应组合。

5.1.8 液压升降脚手架上的扣件式钢管架体与落地架体有较大的区别，主要表现在自身刚度较落地脚手架大，受到支撑桁架、主立架的约束，由于支撑桁架的变形会导致某些立杆的荷载效应增加，从而导致失稳的现象，因此采用了附加安全系数调整。

5.1.9 整体液压升降脚手架在升降过程中，各个机位的升降会受各种因素而产生不同步现象，造成支座垂直位移，而连为一体的整体桁架会因支座垂直位移而产生次应力，使支座的荷载增加或减少，因此针对不同设备、不同工况提出了相应的附加荷载不均匀系数。

5.2 设计及计算

5.2.1 本条为设计计算的基本规定和设计所采用的规范依据，对特殊的构件设计验算可直接按相关规范进行。

5.2.2 本条主要对液压升降整体脚手架的各部分计算内容和建议方法作了要求。

5.2.3 本条所列部件为液压升降整体脚手架的主要构件，应确保其刚度，因此除进行强度验算外，还应进行变形验算。

5.2.4 索具及吊具、升降部件等属建筑机械部分，故采用允许应力法计算。

5.2.5、**5.2.6** 主要说明架体的各部分简化计算模型及需要计算的内容。竖向主框架内外立杆的垂直荷载应包括内外水平支承传递来的支座反力、操作层大横杆直接传来的支座反力；对竖向主框架风荷载按每根大横杆挡风面承担的风荷载，以节点集中荷载计算。

5.2.7 附着支承荷载取值除了正常的运行工况外，需要考虑到支座升降不同步产生的次应力，还要考虑到发生坠落工况防坠生效时的冲击作用。对方钢构件应进行平面内与平面外的验算。

5.2.8 导轨按垂直连续杆件设计，其作用荷载为动荷载。在有些升降机构中，由导向柱代替导轨，其主要区别在导向装置是固定在架体上还是在主体结构上。

5.2.9 防坠装置荷载考虑到发生坠落工况防坠生效时的冲击作用。

对防坠附墙支座与升降架体附墙支座建议分别设置，主要考虑到其作用不同：升降架体附墙支座需要有足够的强度和刚度，保证升降及工作时的同步与稳定；而防坠支座需要有足够的强度，刚度的提高反而加大了冲击的作用。因此提出了该项建议。

5.2.10、**5.2.11** 主要说明竖向主框架底座框、吊拉杆和悬臂梁的设计要求。

5.2.12 同一工程宜为同一升降设备，避免因设备油压、作用力、行程的参数不一致而产生升降不同步。

5.2.13 穿墙螺栓是固定附墙支座的主要受力构件，按承受拉剪作用的单根螺栓设计。采用数根螺栓共同锚固支座时按螺栓实际受力计算。

5.2.14 穿墙螺栓孔处的混凝土局部承压验算采用现行国家标准《混凝土结构设计规范》GB 50010 的计算方法，注意爬升龄期的混凝土试块应为同条件养护的试块。

5.2.15 穿墙螺栓孔在剪力墙等薄壁板支座时，会发生混凝土板的冲切破坏。附注要求穿墙螺栓垫板应保证为刚性板，当板宽度与厚度比不大于10时，可以按刚性板考虑。当验算达不到要求时可采用双垫板、带肋垫板等提高垫板刚度的方式，通过增大局部承压的面积来提高局部承压能力。

5.2.16 位于建筑物凸出或凹进结构处的液压升降整体脚手架情况相对复杂，平面上会出现转折、斜向、梯形等异形的平面架体，立面上会出现外挑与内收等情况，它们所连接成整体的结构应根据实际的受力状态进行具体分析与设计。

6 液压升降装置

6.1 技术要求

6.1.1 液压升降装置的执行机构是多作用液压缸，因此液压升降执行机构应符合国家现行标准《液压缸　技术条件》JB/T 10205－2000，和《液压缸试验方法》GB/T 15622－2005的有关规定。

6.1.2 液压控制系统是本装置的重要组成部分，应符合国家现行标准《液压系统通用技术条件》GB/T 3766－2001和《液压元件通用技术条件》GB/T 7935－2005的有关规定。

6.1.3 本条规定额定工作压力宜小于16MPa，实际正常情况下的工作压力应在8MPa左右。各液压元件是系统的执行和调节部件，必须大于系统的额定工作压力。

6.1.4 溢流阀的调定值不应大于系统额定工作压力的110%，也就是17.6MPa，因为溢流阀的调定值有波动，要保证额定工作压力16MPa，乘以1.1的系数才能保证。

6.1.5 本规程附录B专门对液压升降装置作出了产品型式试验报告的规定，液压升降装置的技术性能要求执行附录B的有关规定。

6.1.6 液压油的清洁度是保证液压系统正常工作的介质，规定液压系统的油液清洁度为那氏9级。液压元件的清洁度应符合国家现行标准《液压件清洁度评定方法及液压件清洁度指标》JB/T 7858的规定。

6.2 检　　验

6.2.1 本条对液压控制系统性能检验，提出了具体衡量方法。

6.2.2 本条说明当达到额定工作压力的1.25倍时，能够检测出液压升降装置的安全性能。

6.2.3 液压系统正常工作时，液压油的温度会上升，本条规定了额定工作压力和时间，温度应在60℃以下。油的温度与油的黏度有关，建议：温度20℃以上，选用46号液压油；温度0℃以下，选用10号液压油；温度−20℃以下，选用10号航空液压油。

6.2.4 负载工况下运转，噪声不应大于75dB（A）是指在控制台位置，液压升降执行机构处的噪声应是很小的。

6.2.5 液压升降装置是重要部件，它是升降过程中最重要的安全保证机构。它们的一般锁紧原理有液压锁紧和机械锁紧两种。机械锁紧原理的产品，失压时不会产生滑移现象。液压锁紧原理，失压时其油外流的话，会产生锁不紧带荷载滑移。在其进油腔的位置串安液压锁（液压锁的工作原理是进油后，保证油不外溢，需要松开时，反方向供给压力，将液压锁的单向阀打开，故能将锁紧腔的油排出），突然失压不会产生液压执行机构锁紧腔里的油外溢，从而保证其锁紧的可行性，因此本条提出了当液压控制系统出现失压状态时，液压升降装置不得有滑移现象的规定。

6.2.6 本条规定的最低启动压力应小于0.5MPa，是考虑架体下降时，靠的是架体自重将主活塞腔内的油排出，从而带动架体下降，如果最低启动压力过高，架体自重不能将主活塞腔内的油排出，架体不能下降。最低启动压力是衡量液压执行机构的密封性能和活塞与缸体的配合精度的重要指标。

6.2.7 本条考虑到安全系数，规定液压升降执行机构在1.5倍的额定工作压力下，不得有零部件的损坏。

6.2.8 本条规定了液压升降执行机构的渗漏油衡量标准。

6.2.9 本条对液压控制台的闭锁功能进行了规定，应有防止误操作的功能。

6.3 使用与维护

6.3.1 本条对液压油的使用、检查和更换进行了规定。

6.3.2 本条说明了异常噪声是液压系统损坏的前兆，应立即停机检查并排除故障。

6.3.3 本条说明了液压升降执行机构的安装位置和防护要求。

6.3.4 本条对液压管路的安装作出规定。

6.3.5 本条是对液压控制台的安装部位的结构强度、防护要求作了规定。

6.3.6 本条对液压升降装置使用了12个月或工程结束后，应进行维护作出了相应规定。

7 安全装置

7.1 防坠落装置

7.1.1 本条规定说明：

1 本条说明每个机位（竖向主框架设置点部位）都应有液压升降装置，有液压升降装置的部位必须设置防坠落装置。本条没有强调要求设置两个防坠落装置，是因为液压升降装置本身具有防坠落功能，它能保证升降过程中不坠落，只要求设置一个防坠落装置，实际上是两道防坠落效果，能保证升降过程中的防坠落功能。使用工况是防坠落装置已经处于工作状态，整体脚手架的荷载全部由附着支承承担直接传递到建筑物上，所以也是安全的。

2 防坠落装置的最终目的是将坠落的某个机位锁紧在建筑结构上，由于其锁紧的动作滞后，防坠落装置相对于被锁紧杆件产生滑移的距离，加上锁紧时产生的冲击荷载，引起锁紧装置及被锁紧杆件的塑性变形而再次产生滑移的距离，两个距离相加为80mm，是经过反复的试验和验证得出的经验数据。本条作为强制性条文，必须严格执行。

7.1.2 防坠落装置安全保险的作用是在整体脚手架升降的过程中，如果液压升降装置损坏或其他提升受力构件断裂等现象发生时，某个机位的竖向主框架失去向上的提升力，发生该机位的竖向主框架坠落时，能够将坠落的竖向主框架锁紧在建筑结构上。因为整体脚手架是上下运动的，因此防坠落装置应是固定的设置在竖向主框架上或设置在附着支承上。如将防坠落装置固定设置在竖向主框架上，防坠落装置的受力杆件应可靠地固定连接在建筑结构上，防坠落装置应与液压升降装置联动，当液压升降装置失去提升力时，防坠落装置工作将锁紧在受力杆件上，即将防坠落装置可靠地固定在建筑结构上，而防坠落装置又是固定在竖向主框架上，从而起到将坠落的竖向主框架固定在建筑结构上，起到安全保险作用。如将防坠落装置固定在附着支承上（即间接地固定在建筑结构上），防坠落装置的受力杆件应可靠地固定在竖向主框架上，当液压升降装置失去提升力时，防坠落装置工作将锁紧在受力杆件上，从而起到将竖向主框架固定在附着支承上（即建筑结构上），起到安全保险作用。因此本条规定防坠落装置的固定部位，并应与液压升降装置联动。

7.1.3 防坠落装置是液压升降整体脚手架升降过程中的重要安全保险，产品质量必须严格控制，本条规定其产品质量应按本规程附录C的要求进行检验并严格执行。

7.1.4 防坠落装置的灵敏度和工作可靠性最为重要，本条规定了防坠落装置在使用完一个单体工程或停止使用6个月后，应进行检验合格后才能再次使用。

7.1.5 本条规定防坠落装置的受力杆件必须与建筑结构有可靠的连接，能承受其冲击荷载。

7.2 防倾覆装置

7.2.1 本条规定在升降工况下，在竖向主框架位置的最上附着支承和最下附着支承之间的最小间距为2.8m（一个楼层高度）或1/4架体高度；使用工况下，在竖向主框架位置的最上附着支承和最下附着支承之间的最小间距为5.6m（两个楼层高度）或1/2架体高度。目的是保证其架体的稳定和防止发生倾覆。本条作为强制性条文，必须严格执行。

7.2.2 本条规定防倾覆导轨应与竖向主框架有可靠的连接，建议设计时采用竖向主框架的内侧立杆与导轨合并，能省材料和省去一道连接构件。

7.2.3 液压升降整体脚手架在升降的过程中会左右摇摆，上端向外、下端向内倾斜，本条规定防倾覆装置应具有防止竖向主框架前、后、左、右倾斜的功能。

7.2.4 本条规定了防倾覆装置应采用螺栓与建筑结构连接；防倾覆装置与导轨的8mm间隙为经验数据。

7.2.5 由于建筑工程的结构施工会产生较大的误差，为了在升降和使用过程中竖向主框架的结构件不变形，规定了防倾覆装置应有调节功能，来适应竖向主框架的垂直度偏差0.5%的要求。

7.2.6 本条说明防倾覆装置与导轨的摩擦宜采用滚动摩擦，便于竖向主框架之间接头处的过渡通过和减少摩阻力。

7.3 荷载控制或同步控制装置

7.3.1 本条规定说明：

1 液压升降装置本身应具有其超载停机和失载停机功能，其原理是当工作压力确定后，承载能力为活塞腔面积与工作压力的乘积。当某一机位的实际荷载超过承载能力后，该机位不会向上升，停升的机位荷载会分给相邻的两个机位，相邻机位的荷载也会同时超过承载能力而停止上升，以此类推使全部的机位停止上升；下降工况同样，当某一机位的实际荷载接近零时，该机位不会向下降，相邻的两个机位的荷载也同样会变小接近零时，同样也会停止下降，以此类推使全部的机位停止下降。

2 当液压升降装置本身不具备荷载控制功能和同步控制功能时，应外加荷载控制或同步控制功能。

3 采用连续式水平支承桁架的架体，应具有限制荷载控制功能；采用简支静定水平桁架的架体，应具有同步控制功能。

7.3.2 本条规定当实际荷载超过设计荷载的30%或失载的70%时，荷载控制系统应能自动停机。

7.3.3 本条规定当相邻机位高差达到30mm时，控制系统应能自动停机。

8 安装、升降、使用、拆除

8.1 一 般 规 定

8.1.1 操作人员除应经过附着升降脚手架的培训外，还应经过液压升降整体脚手架的专业知识培训，并在工作前进行安全技术交底，保证工作过程的准确性。

8.1.2 本条规定遇到恶劣天气时，必须停止施工作业，并在人员撤离前做好相应的防护工作。

8.1.3 本条规定液压升降整体脚手架应有防雷措施。

8.1.4 液压升降整体脚手架的安装、升降、拆除，均属于高空作业，高空作业应有防坠落措施和安全警戒措施。

8.1.5 液压升降整体脚手架在装拆使用过程中均属于高空作业，应当遵守高空作业的有关规定。

8.1.6 液压升降整体脚手架的升降装置属于机电液一体化的产品，应当遵守施工现场用电的有关规定。

8.1.7 本条规定在液压升降整体脚手架的升降过程中，架体上严禁有人停留。

8.2 安 装

8.2.1 液压升降整体脚手架应用于建筑施工，会产生很大的经济效益和社会效益，但在使用过程中其安全性也十分重要。液压升降整体脚手架应由有资质的安装单位施工，其设备的使用应有说明书。液压升降整体脚手架的安装、升降、使用、拆除应有专项施工方案，特殊情况应制定专门的处理方案，方案应经过相关部门审批，并保证监督渠道的通畅。

8.2.2～8.2.4 对搭设整体脚手架的材料、构（配）件、预留孔洞等提出具体的要求。

8.2.5 本条规定液压升降整体脚手架安装时必须搭设安装平台；若地面、裙房屋面的平整度及承载力等满足要求时，可以利用它们作为安装平台进行脚手架安装；搭设的安装平台必须有保障施工人员安全的防护设施；并保证平台的水平精度和足够的承载能力。

8.2.6～8.2.17 对脚手架的安装过程和安装精度提出具体的要求。

8.2.18 规定液压升降整体脚手架安装后应按本规程附录D的要求进行验收。

8.3 升　　降

8.3.1 本条规定了提升或下降前，应按本规程附录E规定的要求进行检查验收。检查验收合格后，方能发布提升令。

8.3.2 本条规定了升降过程中的指挥要求，也是确保安全的措施之一。

8.3.3 本条规定了升降过程中，检查的内容和要求，是确保升降安全的指导性项目。

8.3.4 本条规定了升降过程中，发现异常现象的处理办法。

8.4 使　　用

8.4.1 本条规定了液压升降整体脚手架在升降到位后，使用前应按本规程附录F规定的内容进行验收合格后，才允许使用。

8.4.2 本条规定了在使用过程中严禁的违章内容。

8.4.3 本条提出施工作业的照度要求。

8.4.4 本条规定一个月为周期，应按本规程附录D中带★的检查项目进行检查。

8.4.5 本条规定了清理架体的要求。

8.4.6 本条规定了液压升降整体脚手架使用完成一个工程后的保养、维修要求。

8.4.7 本条规定了液压升降整体脚手架部件及装置的报废标准。

8.5 拆　　除

8.5.1 本条规定拆除工作应有专项方案，并严格按专项方案进行，降低拆除的高度有利于安全。液压升降整体脚手架的升降作业和使用结束，转入拆除作业，工作性质变了，有必要进行安全技术交底。

8.5.2 本条说明了液压升降整体脚手架拆除时，属于高空作业，应有防止人员和物料坠落的措施；并同时对拆除区域进行警戒，防止人员入内受到伤害。

8.5.3 本条规定了拆除以后的材料处理方法和要求。

统一书号：15112·17738
定　　价：**12.00**　元

UDC

中华人民共和国行业标准

P

JGJ 183－2009
J892－2009

液压升降整体脚手架安全技术规程

Technical specification for safety of hydraulic lifting integral scaffold

2009－09－15 发布　　2010－03－01 实施

中华人民共和国住房和城乡建设部　发布